Pâtisseries

Pâtisseries

PaRragon

Bath · New York · Singapore · Hong Kong · Cologne · Delhi · Melbourne

Parragon Books Ltd
Queen Street House
4 Queen Street
Bath BA1 1HE
Royaume-Uni

Copyright © 2008 pour l'édition française
Réalisation : Belle page, Boulogne
Traduction de l'anglais : Francine Sirven

Conception graphique : Mark Cavanagh
Photographies : Günter Beer et Mike Cooper
Introduction : Bridget Jones

ISBN : 978-1-4075-4188-4
Imprimé en Chine

Notes au lecteur

• Les mesures en cuillerées s'entendent rases. Une cuillerée à café équivaut
à 5 ml et une cuillerée à soupe à 15 ml.
• Sauf spécification contraire, le lait utilisé est écrémé, les œufs sont de taille
moyenne.
• Les recettes à base d'œuf cru sont déconseillées aux enfants, aux femmes enceintes,
aux personnes âgées, aux malades, ainsi qu'aux convalescents.
• Les temps de préparation indiqués sont approximatifs et peuvent différer
en fonction des méthodes individuelles utilisées.

Sommaire

Introduction

Les grands chefs pâtissiers le savent. La grandeur de la pâtisserie réside d'abord dans le respect de quelques fondamentaux. Tout est là ! Astuces et techniques de bases qu'il faut apprendre à maîtriser pour des pâtes sans faute.

• Ingrédients frais, équipement et plan de travail adéquat.

• Ne jamais négliger les temps de repos au frais qui feront toute la différence entre une pâte maniable ou non.

• Travailler avec légèreté pour éviter les pâtes trop dures. Incorporer la matière grasse dans la farine du bout des doigts et non à pleines mains. Idéal pour pétrir une pâte feuilletée, le robot de cuisine.

• Inutile de graisser les moules, sauf indication contraire mentionnée dans la recette.

• La plupart des pâtisseries requièrent une cuisson à forte température, du moins au début.

Feuilletés feuille à feuille

La clé du succès ? Maintenir tous les ingrédients au frais. Laisser reposer la pâte au frais avant chaque maniement du rouleau à pâtisserie.

• Cuire la pâte feuilletée à haute température pour bien la laisser lever.

• Passer les moules à tartes ou à tartelettes sous l'eau froide ou placer un récipient peu profond rempli d'eau bouillante au bas du four pour une bonne levée.

Choux à gogo !

Réaliser des choux ? Un jeu d'enfant !

• Faire fondre le beurre dans l'eau à feu doux, sans laisser bouillir, jusqu'à dissolution de la matière grasse, puis porter rapidement à ébullition.

• Verser toute la farine (sans levure ajoutée) en une fois avant de retirer la casserole du feu et remuer sans attendre. Remuer jusqu'à ce que la préparation

se détache des parois de la casserole, sans battre pour éviter qu'elle devienne graisseuse.

• Laisser la pâte tiédir avant d'ajouter les œufs.

• Incorporer les œufs, éventuellement à l'aide d'un fouet électrique. Continuer de battre jusqu'à obtention d'un mélange onctueux et brillant.

• Entailler les choux dès leur sortie du four pour permettre à la vapeur de s'échapper et de préserver le croustillant de la pâte. L'intérieur doit être légèrement collant.

Pâte filo croustillante

Existe en version congelée ou sous vide.

• Les feuilles filo se dessèchent rapidement et deviennent facilement friables. Conserver sous un film alimentaire ou dans un torchon humide. À défaut de feuilles filo, utiliser des feuilles de brick.

• Badigeonner les feuilles de matière grasse (huile ou beurre fondu) afin d'éviter qu'elles s'entrecollent et pour préserver tout leur craquant à la cuisson.

• Badigeonner la pâte filo d'œuf ou de lait pour le glaçage. Pour les pâtes sucrées, préférer un glaçage à base de blanc d'œuf et de sucre.

Saveurs sablées

La pâte sablée est craquante et friable, effet du mélange matière grasse et farine, arrosé d'un peu de liquide. Trop d'eau, et la pâte perd de sa tenue et de sa souplesse.

• La richesse et la qualité de la pâte sablée sont proportionnelles à la quantité de matière grasse. Traditionnellement, on compte moitié ou trois-quarts de matière grasse pour une dose de farine.

• Le beurre est une garantie de saveur. Saindoux et matière grasse végétale donneront plutôt une pâte brisée. Mais on peut combiner moitié beurre, moitié matière grasse végétale.

Feuilletés feuille à feuille

Feuilleté aux pommes

Pour 16 pièces

Pâte feuilletée

275 g de farine ordinaire (supplément pour saupoudrage)

175 g de beurre (supplément pour graisser)

¼ de cuil. à café de sel

7 g de levure de boulanger

2 cuil. à soupe de sucre en poudre

1 œuf à température ambiante

1 cuil. à café d'extrait de vanille

6 cuil. à soupe d'eau tiède

œuf battu ou lait pour le glaçage

Garniture

2 pommes à cuire, épluchées, épépinées et hachées

zeste de 1 citron

4 cuil. à soupe de sucre

Verser la farine dans un saladier et incorporer 25 g de beurre. Réserver. Faire durcir le beurre restant au congélateur. Saupoudrer de farine et râper dans un saladier. Placer au réfrigérateur.

Incorporer le sel, la levure et le sucre au mélange de farine. Dans un autre saladier, battre l'œuf avec l'extrait de vanille et l'eau. Verser sur la farine et mélanger jusqu'à obtention d'une pâte. Pétrir 10 minutes sur un plan fariné. Réfrigérez.

Abaisser la pâte pour former un rectangle de 30 x 20 cm et découper trois bandes égales dans le sens de la longueur. Saupoudrer uniformément le beurre râpé sur les deux premières, en laissant 1 à 2 cm de marge et presser légèrement la pâte.

Rabattre la troisième bande sur la deuxième, puis rabattre la première bande. Sceller les bords à l'aide d'un rouleau à pâtisserie et faire pivoter la pâte d'un quart de tour. Abaisser la pâte pour former un rectangle de la taille du premier. Rabattre le tiers inférieur vers le haut et le tiers supérieur de nouveau vers le bas. Sceller les bords. Envelopper d'un film alimentaire et placer au réfrigérateur 30 minutes. Abaisser, rabattre et faire pivoter la pâte quatre fois de suite, en la plaçant chaque fois au frais. Laisser reposer au réfrigérateur une nuit.

Préchauffer le four à 200 °C (th. 6-7). Graisser deux feuilles de papier sulfurisé. Mixer les pommes et le zeste de citron avec trois cuillerées à soupe de sucre. Abaisser la pâte pour former un carré de 40 cm et découper en seize carrés. Déposer un peu de garniture à la pomme au centre des carrés, réserver le jus pour le glaçage. Badigeonner les bords des carrés de lait et rabattre les coins vers le centre. Déposer les carrés sur la plaque à pâtisserie et placer au frais 15 minutes.

Badigeonner les feuilletés du jus réservé et saupoudrer de sucre. Cuire au four 10 minutes. Réduire la température à 180 °C (th. 6) et cuire 10 à 15 minutes pour dorer.

Pour 16 pièces

Pâte feuilletée

275 g de farine ordinaire (supplément pour saupoudrage)

175 g de beurre (supplément pour graisser)

¼ de cuil. à café de sel

7 g de levure de boulanger

2 cuil. à soupe de sucre en poudre

1 œuf à température ambiante

1 cuil. à café d'extrait de vanille

6 cuil. à soupe d'eau tiède

œuf battu ou lait pour le glaçage

Garniture

115 g d'amandes pilées

4 cuil. à soupe de sucre en poudre

1 œuf battu

quelques gouttes d'extrait d'amande

16 cerises confites

Glaçage

115 g de sucre glace

un peu d'eau

Moulin aux cerises et aux amandes

Pour confectionner la pâte feuilletée, suivre les instructions de la page 11.

Une fois la pâte reposée plusieurs heures ou toute une nuit au réfrigérateur, préparer la garniture. Mixer les amandes et le sucre, puis incorporer l'œuf et quelques gouttes d'extrait d'amande jusqu'à obtention d'une pâte. Diviser la pâte d'amandes en seize portions et rouler en boules.

Graisser deux feuilles de papier sulfurisé. Abaisser la pâte feuilletée pour former un carré de 40 cm de côté et découper en seize carrés. Pour chaque carré de pâte, découper une diagonale à partir de chaque angle, jusqu'à mi-longueur du centre. Déposer une boule de pâte d'amandes au centre. Replier un coin sur deux vers le centre, en pressant la pâte. Surmonter d'une cerise et déposer sur le papier sulfurisé. Réserver au frais 15 minutes.

Pendant ce temps, préchauffer le four à 200 °C (th. 6-7). Badigeonner les moulins d'un peu d'œuf battu ou de lait et cuire au four 10 minutes. Baisser la température du four à 180 °C (th. 6) et cuire 5 à 10 minutes supplémentaires, pour dorer.

Pour le glaçage, verser le sucre glace dans un saladier et arroser d'un peu d'eau. Verser le glaçage sur les moulins dès la sortie du four. Transférer sur une grille et laisser refroidir complètement.

Pour 8 pièces

250 g de pâte feuilletée
prête à l'emploi

lait pour le glaçage

Garniture

450 g de pommes à cuire,
épluchées, épépinées
et hachées

zeste râpé de 1 citron
(facultatif)

1 pincée de clous de girofle
en poudre (facultatif)

3 cuil. à soupe de sucre

Sucre d'orange

1 cuil. à soupe de sucre
pour le saupoudrage

zeste finement râpé
de 1 orange

Crème à l'orange

250 ml de crème fraîche

zeste de 1 orange
et jus de ½ orange

sucre glace à volonté

Chausson aux pommes

Préparer la garniture avant d'abaisser la pâte. Mixer les pommes
hachées, avec éventuellement le zeste de citron et les clous
de girofle en poudre. Incorporer le sucre à la dernière minute
pour conserver aux pommes tout leur jus. Pour le sucre
d'orange, mélanger le sucre et le zeste d'orange.

Préchauffer le four à 220 °C (th. 7). Abaisser la pâte
sur une surface farinée pour former un rectangle de 60 x 30 cm.
Découper le rectangle en deux, dans le sens de la longueur,
puis en quatre dans le sens de la largeur pour confectionner
huit carrés de 15 cm de côté. (Éventuellement, procéder
en deux fois, en abaissant la moitié de la pâte en un carré
de 30 cm de côté et découper en quatre).

Incorporer le sucre à la garniture aux pommes. Badigeonner
chaque carré d'un peu de lait et déposer un peu de garniture
au centre. Replier en diagonale pour obtenir un chausson
triangulaire et presser les bords fermement.
Déposer sur une plaque à pâtisserie. Répéter l'opération
avec le reste des carrés.

Badigeonner les chaussons de lait et saupoudrer d'un peu
de sucre à l'orange. Cuire au four 15 à 20 minutes, pour faire
gonfler et dorer les chaussons. Laisser refroidir sur une grille.

Pour la crème à l'orange, fouetter la crème fraîche, le zeste
d'orange et le jus jusqu'à épaississement de la préparation.
Ajouter un peu de sucre et fouetter une nouvelle fois
jusqu'à ce que la crème soit ferme. Servir les chaussons chauds
et agrémenter d'une cuillerée de crème à l'orange.

Pour 12 pièces

2 cuil. à soupe de beurre
détaillé en petits morceaux
(supplément pour la plaque)

225 g de farine à pain

½ cuil. à café de sel

7 g de levure de boulanger

1 œuf, légèrement battu

125 ml de lait tiède

2 cuil. à soupe de sirop
d'érable pour le glaçage

Garniture

4 cuil. à soupe
de beurre, ramolli

2 cuil. à café
de cannelle moulue

50 g de vergeoise blonde

50 g de raisins de Corinthe

Tourbillon à la cannelle

Graisser une plaque à pâtisserie avec un peu de beurre.

Tamiser la farine et le sel au-dessus d'un grand saladier.
Incorporer la levure, puis le beurre et travailler la préparation
du bout des doigts jusqu'à obtention d'une « chapelure ».
Ajouter l'œuf et le lait et mélanger jusqu'à obtention d'une pâte.

Former une boule de pâte, déposer dans un saladier graissé,
couvrir et laisser reposer 40 minutes dans un endroit chaud,
ou le temps que la pâte double de volume.

Pétrir légèrement durant 1 minute, puis abaisser la pâte
pour former un rectangle de 30 x 23 cm.

Pour la garniture, battre ensemble le beurre ramolli,
la cannelle et la vergeoise jusqu'à obtention d'un mélange aéré
et mousseux. Étaler uniformément la garniture sur le rectangle
de pâte, en réservant une marge de 2,5 cm sur tout le pourtour.
Parsemer de raisins de Corinthe.

Rouler l'abaisse de la pâte à partir d'un des côtés les plus longs
et presser pour bien sceller. Découper le boudin de pâte
en douze tranches. Coucher chaque tranche sur une plaque
à pâtisserie, couvrir et laisser reposer 30 minutes.

Préchauffer le four à 190 °C (th. 6). Cuire les tourbillons
20 à 30 minutes, le temps de les laisser lever. Badigeonner
de sirop d'érable, laisser légèrement refroidir et servir.

Pour 24 pièces

600 g de farine ordinaire
(supplément
pour saupoudrage)

7 g de levure de boulanger

115 g de sucre en poudre

½ cuil. à café de sel

1 cuil. à café de cannelle
moulue

85 g de beurre doux

2 gros œufs
+ 1 œuf battu
pour le glaçage

300 ml de lait

huile pour les plaques

Garniture

6 cuil. à soupe de pâte
à tartiner parfum
chocolat noisette

200 g de chocolat au lait râpé

Tourbillon aux deux chocolats

Mélanger la farine avec la levure, le sucre, le sel et la cannelle dans un grand saladier.

Faire fondre le beurre au bain-marie dans un saladier thermorésistant, laisser légèrement refroidir. Incorporer au fouet deux œufs et le lait. Verser dans la préparation à base de farine et mélanger pour former une pâte.

Déposer sur un plan de travail fariné et pétrir 10 minutes jusqu'à obtention d'une pâte homogène. Placer la boule de pâte dans un grand saladier fariné, recouvrir de film alimentaire et réserver dans un endroit chaud 8 h, ou toute une nuit.

Juste avant de confectionner les tourbillons, travailler la pâte. Préchauffer le four à 220 °C (th. 7) et huiler légèrement deux plaques à pâtisserie.

Diviser la pâte en quatre et abaisser chaque boule en un rectangle de 2,5 cm d'épaisseur. Badigeonner chaque rectangle de pâte à tartiner et saupoudrer de copeaux de chocolat au lait. Rouler la pâte à partir d'un des côtés les plus longs et découper en six parts. Coucher chaque tourbillon sur les plaques à pâtisserie. Badigeonner chaque tourbillon d'œuf battu. Cuire au four préchauffé 20 minutes et servir chaud.

Pour 6 personnes

2 cuil. à soupe
de beurre coupé en dés
(supplément pour la plaque)

225 g de farine ordinaire

½ cuil. à café de sel

7 g de levure de boulanger

125 ml de lait tiède

1 œuf légèrement battu

Garniture

4 cuil. à soupe
de beurre ramolli

50 g de vergeoise blonde

2 cuil. à soupe de noisettes
hachées

1 cuil. à soupe
de gingembre haché

50 g d'écorces
de fruits confits

1 cuil. à soupe de rhum brun
ou de cognac

Glaçage

115 g de sucre glace

2 cuil. à café de jus de citron

Couronne surprise

Graisser une plaque à pâtisserie. Tamiser la farine et le sel
au-dessus d'un saladier. Incorporer la levure, puis le beurre,
du bout des doigts. Ajouter le lait et l'œuf. Mélanger
jusqu'à obtention d'une pâte.

Déposer la pâte dans une jatte graissée, couvrir et réserver
dans un endroit chaud 40 minutes, le temps que la pâte double
de volume. Pétrir légèrement 1 minute puis abaisser la pâte
pour former un rectangle d'environ 30 x 23 cm.

Pour la garniture, battre le beurre et le sucre jusqu'à obtention
d'un mélange aéré et mousseux. Incorporer la noisette,
le gingembre, les écorces et le rhum, ou le cognac.
Étaler la garniture sur la pâte, en réservant une marge de 2,5 cm
sur le pourtour.

Rouler la pâte, à partir d'un des côtés les plus longs, pour former
un boudin. Découper en tranches de 5 cm et coucher en cercle
sur une plaque à pâtisserie, bord à bord. Couvrir et réserver
dans un endroit chaud 30 minutes, le temps de laisser lever.

Préchauffer le four à 190 °C (th. 6). Cuire les couronnes
20 à 30 minutes, pour dorer. Pendant ce temps, mélanger
le sucre glace avec suffisamment de jus de citron pour obtenir
un fin glaçage.

Laisser refroidir légèrement avant de napper de glaçage.
Laisser le glaçage prendre avant de servir.

Pour 12 pièces

Pain au chocolat

175 g de beurre ramolli
(supplément pour la plaque)

500 g de farine ordinaire

½ cuil. à café de sel

7 g de levure de boulanger

2 cuil. à soupe de saindoux
ou de graisse végétale

1 œuf, légèrement battu

225 ml d'eau tiède

100 g de chocolat à croquer
soit 12 carrés

œuf battu pour le glaçage

Graisser une plaque à pâtisserie. Tamiser la farine et le sel au-dessus d'un saladier et incorporer la levure. Incorporer le saindoux ou la graisse végétale, du bout des doigts. Ajouter l'œuf et suffisamment d'eau pour obtenir une pâte homogène. Pétrir 10 minutes environ, jusqu'à obtention d'une pâte lisse et souple.

Abaisser la pâte pour former un rectangle de 38 x 20 cm et entailler dans le sens de la longueur pour former trois bandes. Partager le beurre en trois portions égales. Badigeonner d'une portion de beurre chacune des deux premières bandes, en laissant une petite marge sur le pourtour.

Rabattre les bandes l'une sur l'autre, en commençant par la bande non beurrée. Sceller les bords avec le rouleau à pâtisserie. Mettre la pâte à la perpendiculaire, l'abaisser pour former un rectangle de 38 x 20 cm, et la rabattre une fois. L'envelopper et la placer au réfrigérateur 30 minutes.

Répéter deux fois l'opération, jusqu'à épuisement du beurre, en plaçant à chaque fois la pâte au réfrigérateur. Rouler et rabattre deux fois encore, sans ajouter de beurre. Placer une dernière fois au réfrigérateur.

Abaisser la pâte pour former un rectangle de 45 x 30 cm, en égalisant les bords au couteau et partager en deux, dans le sens de la longueur. Découper chaque moitié en six rectangles et badigeonner d'œuf battu. Déposer un carré de chocolat à l'extrémité de chaque rectangle et rouler pour former un boudin. Presser les extrémités et déposer, côté scellé en bas, sur la plaque à pâtisserie. Couvrir et laisser lever 40 minutes dans un endroit chaud. Préchauffer le four à 220 °C (th. 7). Badigeonner chaque pain d'œuf et cuire au four 20 à 25 minutes, pour dorer. Servir chaud ou froid.

Tarte tatin à la pêche et au gingembre

Pour 6 personnes

Pâte feuilletée

175 g de farine ordinaire

1 pincée de sel

175 g de beurre doux

environ 150 ml d'eau glacée

(ou 250 g de pâte feuilletée prête à l'emploi)

Garniture

6 à 8 pêches mûres

75 g de sucre en poudre extra-fin

50 g de beurre doux

3 morceaux de racine de gingembre au sirop, hachés, et le sirop réservé

1 œuf battu pour le glaçage

Pour la pâte feuilletée, tamiser la farine et le sel au-dessus d'un saladier et incorporer 25 g de beurre. Verser progressivement l'eau, afin de lier la pâte et pétrir brièvement, jusqu'à obtention d'une pâte lisse. Envelopper d'un film alimentaire et placer au réfrigérateur 30 minutes. Envelopper de film le reste de beurre et modeler en un rectangle grossier de 3 cm d'épaisseur. Abaisser la pâte pour former un rectangle trois fois plus long et 3 cm plus large que le rectangle de beurre. Déposer le beurre au centre de ce rectangle, côté le plus long face à vous. Rabattre les deux bandes de pâte afin d'envelopper le beurre, puis sceller les bords. Faire pivoter la pâte, côté le plus court face à vous. Abaisser la pâte à sa longueur initiale, replier en trois, faire pivoter la pâte puis abaisser de nouveau à la longueur initiale. Répéter l'opération une fois de plus, puis envelopper une nouvelle fois la pâte. Placer au réfrigérateur 30 minutes. Sortir, abaisser de nouveau la pâte, faire pivoter deux fois de plus et remettre 30 minutes au réfrigérateur.

Préchauffer le four à 190 °C (th. 6). Plonger les pêches dans l'eau bouillante, égoutter, peler et dénoyauter. Verser le sucre dans un moule thermorésistant de 25 cm de diamètre et caraméliser à feu doux en agitant le moule au besoin. Hors du feu, incorporer 25 g de beurre.

Disposer, serrées, les 2 moitiés de pêches sur le caramel. Combler les interstices de morceaux de gingembre. Parsemer de beurre, arroser d'une cuillerée à soupe de sirop de gingembre et laisser mijoter. Régler le thermostat du four à 5. Abaisser la pâte pour former un cercle supérieur au moule. Déposer le cercle de pâte sur les pêches, en scellant les bords. Badigeonner d'œuf battu et cuire au four 20 à 25 minutes, le temps que la pâte lève et dore. Sortir du four et laisser reposer 5 minutes. Servir.

Pour 6 pièces

Pâte feuilletée

175 g de farine ordinaire

1 pincée de sel

175 g de beurre doux

150 ml environ d'eau glacée

(ou 250 g de pâte feuilletée
prête à l'emploi)

Garniture

1 grosse aubergine
ou 2 petites équeutées
finement émincées

5 cuil. à soupe d'huile d'olive

3 boules de mozzarella
émincées

6 cuil. à soupe de pesto

poivre noir

1 jaune d'œuf battu
pour le glaçage

6 tranches de jambon
de Parme

Tartelette à l'aubergine, au pesto et au jambon de Parme

Pour la pâte feuilletée, suivre les instructions de la page 25.

Pour confectionner les tartes, diviser la pâte en six et abaisser chaque portion en cercles ou rectangles. Déposer sur deux plaques à pâtisserie, trois tartelettes sur chacune. Préchauffer le four à 190 °C (th. 6).

Badigeonner les tranches d'aubergine de deux cuillerées à soupe d'huile d'olive et faire frire par fournées à feu vif dans une poêle antiadhésive. Disposer les tranches en les faisant se chevaucher sur chaque base de pâte, en laissant une marge de 2,5 cm sur le pourtour. Répartir les tranches de mozzarella sur les tranches d'aubergine, napper de pesto. Verser le reste d'huile d'olive et assaisonner de poivre noir. Badigeonner les bords de la pâte de jaune d'œuf et cuire au four 15 minutes. Sortir du four et déposer une tranche de jambon de Parme sur chaque tartelette avant de servir.

Pour 6 personnes

Pâte feuilletée

175 g de farine ordinaire

1 pincée de sel

175 g de beurre doux

150 ml environ d'eau glacée

(ou 250 g de pâte feuilletée
prête à l'emploi)

Garniture

500 g de fromage de chèvre
émincé

3 à 4 brins de thym frais
(feuilles uniquement)

55 g d'olives noires
dénoyautées

50 g de filets d'anchois
à l'huile d'olive

1 cuil. à soupe d'huile d'olive

sel et poivre

1 jaune d'œuf battu
pour le glaçage

Tarte au thym et au fromage de chèvre

Pour la pâte feuilletée, suivre les instructions de la page 25.

Abaisser la pâte pour former un large cercle ou rectangle. Déposer sur une plaque à pâtisserie. Préchauffer le four à 190 °C (th. 6).

Disposer les rondelles de fromage, en réservant une marge de 2,5 cm sur le pourtour. Saupoudrer le fromage de thym, agrémenter d'olives et d'anchois. Arroser d'huile d'olive, assaisonner généreusement. Badigeonner les bords de pâte d'œuf battu. Cuire au four 20 à 25 minutes, le temps que le fromage grésille et que la pâte dore.

2

Choux à gogo !

Pour 12 pièces

Pâte à chou

70 g de beurre, détaillé
en petits morceaux
(supplément pour la plaque)

150 ml d'eau

100 g de farine ordinaire
tamisée

2 œufs

Crème

2 œufs, légèrement battus

4 cuil. à soupe de sucre
en poudre

2 cuil. à soupe de farine
de maïs

300 ml de lait

¼ de cuil. à café d'extrait
de vanille

Glaçage

2 cuil. à soupe de beurre

1 cuil. à soupe de lait

1 cuil. à soupe de cacao

55 g de sucre glace

75 g de chocolat blanc

Éclair au chocolat

Préchauffer le four à 200 °C (th. 6-7). Graisser légèrement
une plaque à pâtisserie. Verser l'eau dans une casserole
avec le beurre et chauffer à petit feu, pour faire fondre le beurre.
Porter à ébullition. Retirer la casserole du feu et verser la totalité
de la farine en une fois. Battre énergiquement la préparation
jusqu'à ce qu'elle se détache des parois de la casserole
et former une boule. Laisser refroidir légèrement, puis incorporer
l'œuf pour former un mélange lisse. Verser dans une grosse
poche à douille munie d'un embout simple de 1 cm.

Humidifier la plaque à pâtisserie. À l'aide de la poche à douille,
former des éclairs de 7,5 cm de long sur la plaque, bien espacés.
Cuire dans le four préchauffé 30 à 35 minutes, le temps
que la pâte soit levée et dorée. Entailler sur 1 cm le côté
de chaque éclair pour permettre à la vapeur de s'échapper.
Laisser refroidir sur une grille.

Pendant ce temps, préparer la crème. Battre les œufs
et le sucre jusqu'à obtention d'un mélange lisse
et épais. Incorporer la farine de maïs. Chauffer le lait
jusqu'à pré-ébullition et ajouter les œufs, fouetter le mélange.
Transférer dans la casserole et cuire à petit feu, en remuant
jusqu'à épaississement. Sortir la casserole du feu et incorporer
l'extrait de vanille. Couvrir de papier cuisson et laisser refroidir.

Pour le glaçage, mettre le beurre à fondre avec le lait
dans une casserole, sortir du feu. Incorporer le cacao et le sucre.
Fendre les éclairs dans leur longueur et garnir de crème à l'aide
de la poche à douille. Napper les éclairs de glaçage.
Mettre le chocolat blanc à fondre au bain-marie,
puis en napper délicatement le glaçage. Laisser reposer.

Pour 12 pièces

Pâte à chou

55 g de beurre

150 ml d'eau

70 g de farine ordinaire
tamisée

2 œufs battus

Garniture et nappage

175 ml de crème fraîche
épaisse

1 cuil. à café de sucre glace

175 g de framboises du jardin

85 g de chocolat à croquer
coupé en morceaux

Éclair au chocolat et à la framboise

Préchauffer le four à 220 °C (th. 7). Pour la pâte
à choux, porter doucement à ébullition le beurre et l'eau
dans une grande casserole. Verser en une seule fois la farine
et bien mélanger jusqu'à ce que la préparation se détache
des parois de la casserole. Laisser légèrement refroidir.
Incorporer progressivement les œufs et battre énergiquement.

Verser la préparation dans une poche à douille équipée
d'un embout simple de 1 cm. Former sur une plaque à pâtisserie
humidifiée des boudins de 7,5 cm de long. Cuire 10 minutes
au four préchauffé. Réduire la température du four
à 190 °C (th. 6), et cuire 20 minutes supplémentaires, pour dorer.
Sur 1 cm, entailler chaque éclair sur le côté pour permettre
à la vapeur de s'échapper et transférer sur une grille. Laisser
entièrement refroidir.

Pour la garniture, verser la crème et le sucre glace
dans un saladier et fouetter jusqu'à épaississement. Fendre
les éclairs sur toute leur longueur et les garnir de la préparation
à la crème. Décorer chaque éclair de quelques framboises.

Mettre le chocolat à fondre au bain-marie et napper les éclairs.
Laisser reposer et servir.

Éclair au caramel et au café

Pour 12 pièces

Pâte à chou

55 g de beurre
(supplément pour la plaque)

150 ml d'eau

70 g de farine ordinaire
tamisée

2 œufs légèrement battus

Garniture

300 ml de crème fraîche
épaisse

4 cuil. à soupe de rhum

1 cuil. à soupe de sucre glace

Caramel au café

200 g de sucre

8 cuil. à soupe d'eau

1 cuil. à café de café
instantané

Dans une casserole, faire fondre doucement le beurre avec l'eau, puis augmenter le feu et porter à ébullition. Verser en une seule fois la farine et bien mélanger, jusqu'à ce que la préparation se détache des parois de la casserole. Ne pas battre la pâte. Laisser légèrement refroidir environ 15 minutes.

Pendant ce temps, préchauffer le four à 220 °C (th. 7). Graisser une plaque à pâtisserie et préparer une poche à douille équipée d'un embout simple de 1,5 cm. Incorporer un à un les œufs dans la pâte et continuer de mélanger jusqu'à obtention d'une préparation lisse et brillante. Verser la pâte dans la poche à douille et former douze boudins sur la plaque à pâtisserie.

Cuire au four 15 minutes à 190 °C (th. 6) et cuire 20 à 25 minutes supplémentaires, jusqu'à ce que les éclairs gonflent et dorent. Transférer sur une grille chaque éclair, entaillé de 1 cm sur le côté pour permettre à la vapeur de s'échapper. Laisser refroidir.

Pour la garniture, battre la crème avec le rhum et le sucre glace. Garnir les éclairs de cette préparation en utilisant une douille cannelée. Replacer les éclairs sur la grille posée sur une plaque à pâtisserie. Disposer les éclairs bord à bord.

Pour le caramel, verser le sucre dans une casserole et ajouter l'eau. Faire chauffer doucement, en remuant de temps en temps, jusqu'à dissolution du sucre. Porter à ébullition et laisser à feu vif, sans remuer, jusqu'à ce que le sirop dore. Sortir du feu et incorporer le café. Verser immédiatement la préparation sur les éclairs. Laisser prendre et refroidir, puis couper les filaments de caramel entre chaque éclair.

Pour 12 pièces

Pâte à chou

55 g de beurre

(supplément pour la plaque)

150 ml d'eau

70 g de farine ordinaire
tamisée

2 œufs légèrement battus

Garniture et nappage

4 fruits de la Passion

350 g de mascarpone

400 g de chocolat blanc

pétales de rose ou violettes
cristallisés pour décorer
(facultatif)

Éclair de la Passion au chocolat blanc

Dans une casserole, mettre le beurre à fondre dans l'eau à feu doux, puis augmenter le feu et porter à ébullition. Verser sans attendre la totalité de la farine et sortir la casserole du feu. Mélanger, jusqu'à ce que la préparation se détache des parois de la casserole. Ne pas battre, la pâte deviendrait graisseuse. Laisser légèrement refroidir 15 minutes environ.

Pendant ce temps, préchauffer le four à 220 °C (th. 7). Graisser une plaque à pâtisserie et préparer une poche à douille munie d'un embout simple de 1,5 cm. Incorporer progressivement les œufs dans la pâte de farine et battre la préparation jusqu'à obtention d'un mélange onctueux et brillant. Introduire la pâte dans la poche à douille et former sur la plaque à pâtisserie douze bandes de pâte.

Cuire au four 15 minutes. Réduire la température du four à 190 °C (th. 6), et cuire 20 à 25 minutes supplémentaires, le temps que les éclairs lèvent et dorent. Transférer sur une grille, chaque éclair entaillé de 1 cm sur le côté pour permettre à la vapeur de s'échapper. Laisser refroidir.

Découper les fruits de la Passion en deux, évider et déposer la chair dans une passoire posée sur un saladier. Exprimer le jus et retirer les graines. Mélanger le jus avec le mascarpone.

Mettre 175 g de chocolat à fondre au bain-marie, en remuant de temps en temps. Incorporer ce mélange au mascarpone. Faire fondre le reste du chocolat.

Garnir les éclairs de préparation au mascarpone, napper de chocolat blanc fondu. Décorer de pétales de rose ou de violettes et laisser reposer avant de servir.

Pour 12 pièces

Garniture et nappage

2 cuil. à café de gélatine
en poudre

2 cuil. à soupe d'eau

350 g de fraises

225 g de ricotta

1 cuil. à soupe de sucre
en poudre

2 cuil. à café de liqueur
de fraises

sucre glace pour le glaçage

Petits choux

100 g de farine ordinaire

2 cuil. à soupe de cacao

1 pincée de sel

6 cuil. à soupe
de beurre doux

225 ml d'eau

2 œufs
+ 1 blanc d'œuf battu

Petit chou à la fraise

Dans un saladier thermorésistant, verser la gélatine dans l'eau. Laisser ramollir 2 minutes. Placer le saladier au bain-marie frémissant et remuer jusqu'à dissolution de la gélatine.

Dans un bol mixeur, placer 225 g de fraises avec la ricotta, le sucre et la liqueur. Mixer jusqu'à obtention d'un mélange uniforme. Ajouter la gélatine et mixer brièvement. Transférer la mousse dans un saladier, couvrir d'un film alimentaire et réserver au réfrigérateur entre 1h et 1h30.

Préparer les petits choux. Recouvrir une plaque à pâtisserie de papier sulfurisé. Tamiser la farine avec le cacao et le sel. Dans une casserole, mettre le beurre à fondre dans l'eau sur feu doux.

Préchauffer le four à 220 °C (th. 7). Sortir la casserole du feu et verser en une seule fois la farine, le cacao et le sel, en mélangeant bien jusqu'à ce que la préparation se détache des parois de la casserole. Laisser légèrement refroidir.

Incorporer progressivement en battant les œufs à la pâte de farine et continuer de battre jusqu'à obtention d'un mélange onctueux et brillant. Déposer douze généreuses cuillerées à soupe de cette préparation sur la plaque à pâtisserie et cuire au four 20 à 25 minutes, pour des choux ronds et croustillants.

Sortir du four et entailler chaque chou sur le côté. Remettre au four 5 minutes puis transférer sur une grille.

Émincer le reste de fraises. Découper les choux en deux, garnir de mousse et de fraises, remettre le chapeau. Saupoudrer de sucre glace et laisser reposer au réfrigérateur 1h30. Servir.

Pour 4 personnes

Pâte à chou

5 cuil. à soupe de beurre
(supplément pour la plaque)

200 ml d'eau

100 g de farine ordinaire

3 œufs battus

Garniture

300 ml de crème fraîche
épaisse

3 cuil. à soupe de sucre
en poudre

1 cuil. à café d'essence
de vanille

Sauce chocolat

125 g de chocolat noir
en morceaux

2½ cuil. à soupe de beurre

6 cuil. à soupe d'eau

2 cuil. à soupe de cognac

Profiterole sauce chocolat

Préchauffer le four à 200 °C (th. 6-7). Beurrer une plaque à pâtisserie. Pour la pâte, porter à ébullition dans une casserole l'eau et le beurre. Pendant ce temps, tamiser la farine au-dessus d'un saladier et verser en une seule fois dans la préparation. Retirer la casserole du feu et mélanger. La pâte doit se détacher des parois de la casserole. Laisser refroidir légèrement. Incorporer les œufs et battre de manière à donner à la préparation une consistance souple et liquide.

Transférer la pâte dans une poche à douille munie d'un embout simple de 1 cm. Former de petites boules sur la plaque à pâtisserie et cuire au four 25 minutes. Sortir du four et percer chaque boule pour permettre à la vapeur de s'échapper.

Pour la garniture, battre la crème fraîche avec le sucre et l'essence de vanille. Ouvrir les boules de pâte en deux et les garnir de crème.

Pour la sauce, mettre le chocolat à fondre au bain-marie avec l'eau et le beurre. Remuer de temps en temps, jusqu'à obtention d'un mélange onctueux et incorporer le cognac. Disposer les profiteroles sur des assiettes individuelles ou en pyramide sur un plat, napper de sauce chocolat et servir.

Pour 4 pièces

Pâte à chou

150 ml d'eau

55 g de beurre
(supplément pour la plaque)

70 g de farine ordinaire
tamisée

2 œufs, légèrement battus

25 g d'amandes effilées

Garniture

zeste râpé de 2 citrons

2 cuil. à soupe de sucre glace
(supplément
pour saupoudrage)

350 g de fromage blanc
maigre

jus de ½ citron

*En accompagnement
(facultatif)*

myrtilles, framboises
ou fraises,

Couronne de fromage blanc au citron

Dans une casserole, mettre le beurre à fondre dans l'eau sur feu doux, puis augmenter le feu et porter à ébullition. Verser d'un jet la totalité de la farine et retirer la casserole du feu. Mélanger, jusqu'à ce que la préparation se détache des parois de la casserole. Ne pas battre, la pâte deviendrait graisseuse. Laisser légèrement refroidir 15 minutes environ.

Pendant ce temps, préchauffer le four à 220 °C (th. 7). Graisser une plaque à pâtisserie. Incorporer progressivement les œufs à la préparation et continuer de battre jusqu'à obtention d'une pâte onctueuse et brillante. Déposer de généreuses cuillerées de pâte sur la plaque à pâtisserie en formant quatre anneaux d'environ 10 cm de diamètre, bien espacés. Parsemer d'amandes effilées, délicatement pressées dans la pâte, à l'aide de la pointe d'un couteau.

Cuire au four 15 minutes. Réduire la température du four à 180 °C (th. 6), et cuire 20 à 25 minutes supplémentaires, le temps de dorer les anneaux. Transférer sur une grille et à l'aide d'un couteau à dents, partager horizontalement chaque anneau en deux. Laisser refroidir.

Pour la garniture, mélanger dans un saladier le zeste de citron avec le sucre glace et le fromage, arroser de jus de citron, à volonté. Placer au réfrigérateur. Au moment de servir, garnir à l'aide d'une cuillère ou d'une poche à douille la base de chaque anneau et remettre le chapeau. Saupoudrer de sucre glace et servir éventuellement accompagné de fruits.

Beignet à l'ananas

Pour 20 pièces

Beignets

540 g d'ananas en tranches
dans son jus

55 g de beurre

70 g de farine ordinaire
tamisée

2 œufs, légèrement battus

zeste râpé d'une orange

huile pour la friture

Miel au gingembre

1 cuil. à café de fécule
ou de farine de maïs

4 cuil. à soupe de liqueur
de gingembre

3 cuil. à soupe
de miel liquide

2 morceaux de gingembre
en conserve émincés

Égoutter l'ananas, réserver le jus. Découper les tranches d'ananas en morceaux et réserver. Verser 150 ml du jus d'ananas dans une casserole. Mettre le beurre à fondre à feu doux dans le jus, puis augmenter le feu et porter à ébullition. Verser la farine d'un jet, puis retirer la casserole du feu. Remuer jusqu'à ce que la préparation se détache des parois de la casserole. Ne pas battre, la pâte deviendrait graisseuse. Laisser légèrement refroidir 15 minutes environ.

Pendant ce temps, pour le miel au gingembre, mélanger dans une petite casserole la fécule, ou la farine de maïs, avec la liqueur de gingembre jusqu'à obtention d'une pâte. Incorporer le miel. Porter à ébullition, sans cesser de remuer, puis sortir du feu. Incorporer le gingembre en conserve. Réserver.

Mettre l'huile à chauffer à 190 °C (th. 6) pour la friture. Battre les œufs dans la préparation à la farine, ajouter le zeste d'orange et battre jusqu'à obtention d'une pâte brillante. Incorporer les morceaux d'ananas et mélanger.

Déposer des cuillerées à soupe de la préparation dans l'huile, les faire frire 3 à 5 minutes, en les retournant une ou deux fois, le temps de les dorer. Égoutter sur du papier absorbant et réserver au chaud, le temps de la friture. Présenter les beignets empilés dans des assiettes individuelles. Remuer la préparation au miel et au gingembre et arroser les beignets avant de servir.

Pour 22 pièces

Pâte à chou

150 ml d'eau

55 g de beurre
(supplément pour la plaque)

70 g de farine ordinaire
tamisée

2 œufs battus

Garniture

2 cuil. à soupe
de mayonnaise

1 cuil. à café de purée
de tomate

140 g de petites crevettes
cuites et décortiquées

1 cuil. à café de sauce
Worcestershire

sel

sauce Tabasco

feuilles d'une salade
romaine effilochées

poivre de Cayenne
pour décorer

Minichou aux crevettes

Préchauffer le four à 180 °C (th. 6) puis graisser une plaque
à pâtisserie. Pour la pâte à choux, dans une grande casserole,
mettre le beurre à fondre dans l'eau sur feu doux,
puis augmenter le feu et porter à ébullition. Verser la totalité
de la farine et retirer la casserole du feu. Remuer,
jusqu'à ce que la préparation se détache des parois
de la casserole. Ne pas battre, la pâte deviendrait graisseuse.
Laisser légèrement refroidir puis incorporer les œufs un à un
et battre énergiquement. Déposer 22 cuillerées de la taille
d'une noix de cette préparation sur la plaque à pâtisserie,
espacées de 2 cm. Cuire au four préchauffé 35 minutes,
pour obtenir des choux légers, dorés et croustillants.
Laisser refroidir sur une grille puis entailler le chapeau
de chaque chou sur 5 mm.

Pour la garniture, verser dans un saladier la mayonnaise,
la purée de tomate, les crevettes et la sauce Worcestershire.
Ajouter sel et sauce Tabasco à volonté et mélanger
uniformément.

Déposer quelques effiloches de romaines sur le fond
de chaque chou, en les laissant dépasser. Placer une cuillerée
de préparation à la crevette sur la salade et saupoudrer
de poivre de Cayenne avant de servir.

Pour 24 pièces

150 ml d'eau

55 g de beurre
(supplément pour la plaque)

70 g de farine ordinaire
tamisée

2 œufs légèrement battus

4 cuil. à soupe d'oignon
nouveau finement haché

zeste râpé de 1 citron

1 gousse d'ail écrasée

50 g de fromage bleu
de Bresse ou des Causses
finement émietté

75 g d'olives noires
dénoyautées (environ 24)

Gougère au bleu et à l'olive

Dans une casserole, mettre le beurre à fondre dans l'eau sur feu doux, puis augmenter le feu et porter à ébullition. Verser sans attendre la totalité de la farine et retirer la casserole du feu. Mélanger, jusqu'à ce que la préparation se détache des parois de la casserole. Ne pas battre, la pâte deviendrait graisseuse. Laisser légèrement refroidir 15 minutes environ.

Pendant ce temps, préchauffer le four à 220 °C (th. 7). Graisser deux plaques à pâtisserie. Incorporer progressivement les œufs au mélange de farine, puis les oignons hachés, le zeste de citron et l'ail jusqu'à obtention d'une préparation onctueuse et brillante. Incorporer le fromage bleu.

À l'aide de deux cuillères à café, former de petits monticules de pâte sur la plaque à pâtisserie (ou procéder avec une poche à douille dotée d'un embout simple). Presser une olive sur chaque monticule et cuire au four 20 minutes, le temps de lever et dorer. Transférer sur une grille et laisser légèrement refroidir avant de servir.

3

Pâte filo croustillante

Pour 4 pièces

1 pomme à croquer

1 poire mûre

2 cuil. à soupe de jus
de citron

55 g de margarine allégée

4 feuilles de pâte filo
décongelée si nécessaire

2 cuil. à soupe
de confiture d'abricot

1 cuil. à soupe
de jus d'orange

1 cuil. à soupe de pistaches
broyées

2 cuil. à café de sucre glace
pour le saupoudrage

Coupelle de fruits

Préchauffer le four à 200 °C (th. 6-7). Retirer les trognons
de la pomme et de la poire, émincer et arroser sans attendre
de jus de citron pour éviter que la chair des fruits ne noircisse.
Mettre la margarine à fondre dans une casserole à feu doux.

Découper chaque feuille filo en quatre puis recouvrir
d'un torchon propre et humide. Badigeonner quatre moules
à cake ronds de 10 cm de diamètre d'un peu de margarine.

Pour chaque coupelle, badigeonner quatre petites feuilles filo
de margarine allégée, presser une feuille de pâte dans un moule.
Superposer les autres feuilles, selon des angles différents.
Répéter l'opération avec les autres feuilles de pâte pour réaliser
les trois autres coupelles.

Déposer alternativement les lamelles de pomme et de poire
au centre de chaque coupelle. Froisser délicatement les bords
de pâte de chaque coupelle.

Mélanger la confiture avec le jus d'orange jusqu'à obtention
d'une préparation onctueuse et badigeonner les fruits. Cuire
au four préchauffé 12 à 15 minutes. Parsemer de pistaches
broyées, saupoudrer de sucre glace et servir au sortir du four.

Pour 25 pièces

225 g de cerneaux de noix

225 g de pistaches décortiquées

100 g d'amandes mondées

4 cuil. à soupe de pignons finement broyés

zeste de 2 grosses oranges finement râpé

6 cuil. à soupe de graines de sésame

1 cuil. à soupe de sucre

½ cuil. à café de cannelle moulue

½ cuil. à café de piment de la Jamaïque

250 g de beurre, fondu (supplément pour le plat)

23 feuilles de pâte filo décongelée si nécessaire

Sirop

450 g de sucre en poudre

450 ml d'eau

5 cuil. à soupe de miel

3 clous de girofle

2 larges lanières de zeste de citron

Baklava

Pour la garniture, broyer délicatement au mixeur les noix, les pistaches, les amandes et les pignons, jusqu'à obtention d'un mélange finement haché. Transférer les fruits secs dans un saladier et incorporer le zeste d'orange, les graines de sésame, le sucre, la cannelle et le piment.

Graisser un plat thermorésistant carré de 25 cm de côté et 5 cm de profondeur. Préchauffer le four à 160 °C (th. 5). Superposer les feuilles filo et les découper à la taille du moule. Maintenir les feuilles sous un torchon humide. Déposer huit feuilles filo au fond du plat en badigeonnant chacune de beurre fondu.

Saupoudrer de 150 g de la garniture aux noix. Coiffer de trois feuilles filo, chacune badigeonnée de beurre. Répéter l'opération, jusqu'à épuisement des feuilles filo et de la garniture, en terminant par une couche de trois feuilles filo. Badigeonner de beurre.

À l'aide d'un couteau fin, découper le baklava en carrés de 5 cm de côté. Badigeonner une nouvelle fois de beurre. Cuire au four préchauffé 1 heure.

Pendant ce temps, verser tous les ingrédients du sirop dans une casserole. Porter lentement à ébullition, tout en remuant pour dissoudre le sucre, puis laisser mijoter 15 minutes jusqu'à obtention d'un fin sirop. Laisser refroidir.

Retirer les baklavas du four et napper de sirop. Laisser refroidir dans le plat, puis servir.

Pour 18 pièces

55 g de chocolat à croquer en morceaux

85 g de noisettes moulues

1 cuil. à soupe de menthe fraîche finement hachée

125 ml de crème aigre

2 pommes à croquer

9 feuilles de pâte filo pour former un carré d'environ 15 cm de côté décongelée si nécessaire

55 à 85 g de beurre fondu

sucre glace pour le saupoudrage

Aumônière au chocolat

Préchauffer le four à 190 °C (th. 6). Mettre le chocolat à fondre dans un saladier au bain-marie. Retirer du feu et laisser légèrement refroidir.

Dans un saladier, mélanger les noisettes, la menthe et la crème. Éplucher les pommes et les râper dans un saladier, incorporer le chocolat fondu et bien mélanger.

Découper chaque feuille filo en quatre carrés. Maintenir les carrés réservés sous un torchon humide. Badigeonner un carré de feuille filo de beurre fondu, superposer un second carré, badigeonné de beurre fondu. Déposer une cuillerée de préparation au chocolat au centre, puis rabattre les coins du carré et tourner pour enfermer la garniture. Répéter l'opération jusqu'à épuisement de la pâte et de la garniture.

Badigeonner une plaque à pâtisserie de beurre fondu et disposer les aumônières. Cuire au four 10 minutes environ, le temps de dorer. Laisser légèrement refroidir, puis saupoudrer de sucre glace.

Pour 20 pièces

4 cuil. à soupe
de beurre fondu
(supplément pour les plaques)

10 feuilles de pâte filo
décongelée si nécessaire

Garniture

75 g de pistaches
grossièrement moulues

50 g de noisettes moulues

2 cuil. à soupe de sucre roux
cristallisé

1 cuil. à soupe d'eau de rose

55 g de chocolat
à croquer râpé

sucre glace
pour le saupoudrage

Cigarillo à la pistache

Préchauffer le four à 180 °C (th. 6). Graisser deux plaques
à pâtisserie. Pour la garniture, verser les pistaches
et les noisettes dans un saladier avec le sucre, l'eau de rose
et le chocolat. Bien mélanger. Découper chaque feuille filo
en deux, dans le sens de la longueur. Superposer les rectangles
et couvrir d'un torchon humide pour empêcher
qu'ils ne sèchent.

Badigeonner une feuille filo de beurre fondu. Étaler une cuillerée
à café de garniture sur un bout de pâte. Rabattre les bords longs
sur la garniture et rouler à partir du bout garni.
Déposer sur la plaque à pâtisserie préparée, couture dessous,
et badigeonner de beurre fondu.

Répéter l'opération avec le reste de feuilles filo et de garniture.
Cuire au four préchauffé 20 minutes, le temps de dorer.
Transférer sur une grille et laisser refroidir. Saupoudrer de sucre
glace avant de servir.

Pour 2 à 4 personnes

8 pommes à croquer

1 cuil. à soupe
de jus de citron

115 g de raisins secs

1 cuil. à café de cannelle
moulue

½ cuil. à café de noix
muscade

1 cuil. à soupe de sucre blond

6 feuilles de pâte filo
décongelée si nécessaire

huile végétale en spray

sucre glace, pour le service

Sauce cidre

1 cuil. à soupe de farine
de maïs

450 ml de cidre brut

Strudel aux pommes et au cidre

Préchauffer le four à 190 °C (th. 6). Chemiser une plaque
à pâtisserie de papier sulfurisé.

Éplucher les pommes et retirer le trognon. Détailler en dés
de 1 cm environ. Verser les pommes dans un saladier
avec le jus de citron, les raisins, la cannelle, la noix muscade
et le sucre blond.

Vaporiser une feuille filo d'huile végétale et superposer
d'une seconde feuille, puis d'une troisième, huilées.
Recouvrir de la moitié de la préparation aux pommes et rouler,
dans le sens de la longueur, en tassant les extrémités
pour sceller la garniture. Répéter l'opération pour le deuxième
strudel. Disposer sur une plaque, vaporiser d'huile et cuire
au four 15 à 20 minutes.

Pour la sauce, mélanger dans une casserole la farine de maïs
à un peu de cidre jusqu'à obtention d'une préparation
onctueuse. Verser le reste de cidre et chauffer à feu doux,
tout en remuant, jusqu'à ébullition et épaississement
de la préparation. Servir les strudels chauds ou froids,
saupoudrés de sucre glace, accompagnés de la sauce au cidre.

Pour 4 personnes

2 poires mûres

55 g de beurre

55 g de chapelure fraîche

55 g de noix de pécan
décortiquées et hachées

25 g de sucre roux
muscovado

zeste de 1 orange
finement râpé

100 g de pâte filo
décongelée si nécessaire

6 cuil. à soupe de miel
de fleurs

2 cuil. à soupe de jus
d'orange

sucre glace
pour le saupoudrage

*En accompagnement
(facultatif)*

yaourt grec

Strudel aux poires et aux noix de pécan

Préchauffer le four à 200 °C (th. 6-7). Éplucher, retirer le trognon et hacher les poires. Mettre une cuillerée à soupe de beurre à fondre dans une poêle et faire frire légèrement la chapelure pour la dorer. Transférer dans un saladier et ajouter les poires, les noix, le sucre muscovado et le zeste d'orange. Mettre le restant de beurre à fondre dans une petite casserole à feu doux.

Réserver une feuille filo, bien enveloppée, et badigeonner les feuilles restantes d'un peu de beurre fondu. Étaler une petite cuillerée de la garniture aux noix sur la première feuille filo, en laissant une marge de 2,5 cm sur le pourtour. Superposer les autres feuilles filo beurrées sur la première, chacune nappée de garniture aux noix. Arroser de miel et de jus d'orange.

Replier les bords de pâte sur la garniture, rouler, à partir d'un bord long. Transférer sur une plaque à pâtisserie, côté scellé apparent. Badigeonner du reste de beurre fondu, puis froisser la feuille filo réservée et en envelopper le strudel. Cuire au four 25 minutes, le temps de dorer. Saupoudrer de sucre glace et servir chaud, accompagné éventuellement de yaourt grec.

Pour 6 personnes

150 g de beurre
de préférence doux
(supplément pour la plaque)

200 g d'assortiment de noix
hachées

115 g de chocolat noir
en morceaux

115 g de chocolat au lait
en morceaux

115 g de chocolat blanc
en morceaux

200 g de pâte filo
(environ 8 feuilles)
décongelée si nécessaire

3 cuil. à soupe de sirop
de maïs

55 g de sucre glace

Strudel aux noix aux trois chocolats

Préchauffer le four à 190 °C (th. 6). Graisser légèrement une plaque à pâtisserie de beurre. Réserver une cuillerée à soupe de noix. Verser le reste de noix dans un saladier et mélanger avec les trois variétés de chocolat.

Déplier une feuille filo sur un torchon. Faire fondre le beurre et badigeonner la feuille filo. Arroser d'un peu de sirop de maïs et saupoudrer de quelques noix au chocolat. Superposer d'une autre feuille filo et répéter l'opération jusqu'à épuisement du mélange noix chocolat.

Utiliser le torchon pour rouler délicatement le strudel et déposer sur la plaque à pâtisserie. Arroser une nouvelle fois de sirop de maïs et saupoudrer des noix réservées. Cuire au four préchauffé 20 à 25 minutes. Couvrir le strudel d'une feuille d'aluminium si les noix commencent à noircir. Saupoudrer le strudel de sucre glace, découper en tranches fines et servir.

Pour 12 pièces

1 banane

25 g de copeaux de chocolat

4 feuilles de pâte filo décongelée si nécessaire

4 cuil. à soupe de beurre fondu

Sauce chocolat

150 ml de crème fraîche liquide

55 g de chocolat à croquer en morceaux

Triangle à la banane et au chocolat

Préchauffer le four à 180 °C (th. 6). Éplucher la banane, écraser dans un saladier à l'aide d'une fourchette. Incorporer les copeaux de chocolat. Couvrir les feuilles filo d'un torchon humide pour éviter qu'elles ne se dessèchent. Badigeonner une feuille filo de beurre fondu et découper dans le sens de la longueur en trois bandes d'environ 6 cm de large.

Déposer une cuillerée de préparation à la banane en bas de chaque bande, replier le coin de pâte pour enfermer la garniture dans un triangle et répéter l'opération sur toute la longueur de la bande pour confectionner un triangle. Déposer sur une plaque à pâtisserie, côté scellé en dessous. Répéter l'opération avec le reste de pâte et de garniture. Cuire au four préchauffé 10 à 12 minutes, pour dorer.

Pour la sauce chocolat, verser la crème et le chocolat dans un saladier thermorésistant et cuire au bain-marie pour faire fondre le chocolat, tout en remuant. Servir les triangles accompagnés de sauce chocolat.

Pour 20 pièces

Fond de tartelette

4 feuilles de pâte filo
décongelée si nécessaire

3 cuil. à soupe
de beurre fondu
(supplément pour les moules)

Garniture

1 gros avocat

1 petit oignon rouge
finement haché

1 piment frais égrené
et finement haché

2 tomates, pelées égrenées
et finement hachées

jus de 1 citron vert

2 cuil. à soupe de coriandre
fraîche hachée

sel et poivre

Tartelette filo à l'avocat

Préchauffer le four à 180 °C (th. 6). Pour le fond de tartelette, travailler une feuille à la fois, en réservant le reste sous un torchon humide. Badigeonner chaque feuille filo de beurre fondu et à l'aide d'un couteau fin, découper en quinze carrés de 5 cm de côté.

Chemiser 20 moules à tartelettes préalablement graissés de trois carrés de feuilles filo, chacun disposé selon un angle différent. Répéter l'opération jusqu'à épuisement des feuilles. Cuire au four préchauffé 6 à 8 minutes, le temps de dorer. Transférer sur une grille et laisser refroidir.

Pour la garniture, éplucher l'avocat et retirer le noyau. Détailler la chair en petits dés et verser dans un saladier avec l'oignon, le piment, les tomates, le jus de citron vert et la coriandre. Saler et poivrer selon le goût. Répartir la garniture sur les fonds de tartelettes et servir aussitôt.

Pour 12 pièces

85 g de beurre fondu
(supplément pour la plaque)

200 g de chair de crabe
fraîche ou en boîte, égouttée

6 oignons nouveaux
finement hachés

2,5 cm de racine
de gingembre
épluchée et râpée

2 cuil. à café de sauce soja

poivre

12 feuilles de pâtes filo
décongelée si nécessaire

Triangles de crabe au gingembre

Préchauffer le four à 180 °C (th. 6) puis graisser une plaque
à pâtisserie. Dans un saladier, bien mélanger la chair de crabe
avec les oignons nouveaux, le gingembre, la sauce soja
et un peu de poivre. Réserver. Travailler une feuille filo à la fois,
en réservant le reste sous un torchon humide. Badigeonner
chaque feuille filo de beurre fondu, plier en deux dans le sens
de la longueur et badigeonner une nouvelle fois de beurre.

Déposer une cuillerée de préparation au crabe sur un coin
de la feuille filo. Replier la feuille pour former un triangle
qui enfermera la garniture. Replier ainsi sur toute la longueur
de la feuille pour obtenir un triangle.

Disposer le triangle sur la plaque de pâtisserie beurrée. Répéter
l'opération avec le reste de pâte et de garniture au crabe.
Badigeonner chaque triangle de beurre fondu. Cuire au four
préchauffé 20 à 25 minutes, le temps de dorer. Servir chaud.

4

Saveurs sablées

Pour 6 pièces

Pâte

170 g de farine ordinaire

1 pincée de sel

60 g de beurre, détaillé
en petits morceaux

60 g de saindoux
ou de graisse végétale
détaillé en petits morceaux

2 à 3 cuil. à soupe
d'eau froide

Garniture

4 cuil. à soupe de maïzena

400 ml de lait de noix de coco
en boîte

zeste et jus
de 1 citron vert

2 œufs, blanc séparé
du jaune

100 g de sucre en poudre
extra-fin

Tartelette meringuée à la noix de coco et au citron vert

Pour la pâte, tamiser la farine et le sel au-dessus d'un grand saladier. Incorporer le beurre et le saindoux et malaxer du bout des doigts jusqu'à obtention d'une consistance sableuse. Verser un peu d'eau et travailler la préparation jusqu'à obtention d'une pâte souple et homogène. Envelopper la pâte et placer au réfrigérateur 30 minutes.

Préchauffer le four à 180 °C (th. 6). Abaisser la pâte et chemiser six petits moules de 10 cm de diamètre et 3 cm de profondeur. Chemiser de papier sulfurisé et garnir de haricots secs. Cuire au four préchauffé 15 minutes. Sortir les fonds de tartelettes du four, retirer les haricots secs et le papier sulfurisé. Réduire la température du four à 160 °C (th. 5).

Pour la garniture, verser la maïzena dans une casserole avec un peu de lait de coco et remuer jusqu'à obtention d'un mélange onctueux. Incorporer le reste de lait de coco. Porter doucement à ébullition, sans cesser de remuer. Cuire tout en remuant environ 3 minutes, jusqu'à épaississement. Retirer du feu et ajouter le zeste et le jus du citron vert, les jaunes d'œufs et quatre cuillerées à soupe du sucre. Verser la préparation sur les fonds de tartelettes.

Dans un saladier, verser les blancs d'œufs et monter en neige, puis incorporer progressivement le reste de sucre. Napper entièrement la garniture de meringue, à l'aide d'une poche à douille ou étaler en tourbillon avec une spatule. Cuire les tartelettes au four 20 minutes, jusqu'à ce que les pics de meringue dorent. Servir chaud ou froid.

Pour 12 pièces

Pâte

200 g de farine ordinaire
(supplément
pour saupoudrage)

85 g de sucre glace

55 g d'amandes pilées

115 g de beurre

1 jaune d'œuf

1 cuil. à soupe de lait

Garniture

225 g de fromage frais
crémeux

sucre glace à volonté
(supplément
pour saupoudrage)

350 g de fruits frais
(groseilles, myrtilles,
framboises
ou fraises des bois)

Tartelette aux fruits d'été

Pour la pâte, tamiser la farine et le sucre glace au-dessus d'un saladier. Incorporer les amandes pilées et le beurre. Travailler jusqu'à obtention d'une consistance sableuse. Incorporer le jaune d'œuf et le lait à l'aide d'une cuillère en bois. Travailler du bout des doigts jusqu'à obtention d'une pâte homogène. Envelopper la pâte d'un film alimentaire et placer au réfrigérateur 30 minutes.

Préchauffer le four à 200 °C (th. 6-7). Abaisser la pâte sur un plan de travail légèrement fariné et chemiser douze moules à tartelettes. Piquer les fonds de pâte à la fourchette. Chemiser chaque fond de pâte de papier d'aluminium, et cuire au four préchauffé 10 à 15 minutes, le temps de dorer. Retirer l'aluminium et cuire 2 à 3 minutes supplémentaires. Transférer les fonds de tartelettes sur une grille et laisser refroidir.

Pour la garniture, verser le fromage frais et le sucre glace dans un saladier. Mélanger. Déposer une cuillerée de garniture sur chaque fond de tartelette et disposer les fruits par-dessus. Saupoudrer de sucre glace tamisé et servir sans attendre.

Pour 12 pièces

Pâte

140 g de farine ordinaire
(supplément
pour saupoudrage)

90 g de beurre, détaillé
en petits morceaux

55 g de sucre roux en poudre

2 jaunes d'œufs

Garniture

2 cuil. à soupe de sirop
d'érable

150 ml de crème fraîche
épaisse

115 g de sucre roux
en poudre

1 pincée de crème
de tartre

6 cuil. à soupe d'eau

115 g de noix de pécan
décortiquées et hachées

12 à 24 cerneaux de noix
de pécan pour décorer

Tartelette aux noix de pécan et au sirop d'érable

Pour la pâte, tamiser la farine au-dessus d'un saladier et incorporer le beurre. Travailler du bout des doigts jusqu'à obtention d'une consistance sableuse. Ajouter le sucre, les jaunes d'œufs et mélanger jusqu'à obtention d'une pâte souple et homogène. Envelopper la pâte et placer au réfrigérateur 30 minutes. Préchauffer le four à 200 °C (th. 6-7).

Sur un plan de travail légèrement fariné, abaisser finement la pâte. Chemiser douze moules à tartelettes d'un cercle de pâte, piqué à la fourchette. Chemiser de papier sulfurisé et garnir de haricots secs. Cuire au four préchauffé 10 à 15 minutes. Retirer le papier sulfurisé et les haricots secs. Cuire au four 2 à 3 minutes supplémentaires. Laisser refroidir sur une grille.

Dans un saladier, mélanger le sirop d'érable à la moitié de la crème fraîche. Verser le sucre, la crème de tartre et l'eau dans une casserole. Chauffer à feu doux, jusqu'à dissolution du beurre. Porter ensuite à ébullition et maintenir l'ébullition, jusqu'à obtention d'une couleur dorée. Retirer du feu. Incorporer le sirop d'érable et la préparation à la crème.

Remettre la casserole sur le feu et porter à 120 °C (th. 4). Vérifier le degré de cuisson en jetant un peu de préparation dans de l'eau froide, elle doit former une petite boule. Incorporer le reste de crème et laisser refroidir. Badigeonner les bords de tartelette de sirop d'érable. Étaler les noix de pécan sur les fonds de tartelette et arroser de caramel. Surmonter chaque tartelette d'un ou deux cerneaux de pécan. Laisser refroidir. Servir.

Pour 6 pièces

Praline

100 g de sucre

3 cuil. à soupe d'eau

50 g d'amandes effilées

beurre pour les moules

Pâte

125 g de farine ordinaire,
(supplément
pour saupoudrage)

1 pincée de sel

75 g de beurre froid, détaillé
en morceaux

1 cuil. à café de sucre glace

eau froide

Frangipane

75 g de beurre

2 œufs

75 g de sucre en poudre

25 g de farine ordinaire

100 g d'amandes moulues

Garniture

8 cerises confites et hachées
(supplément pour décorer)

25 g d'écorces
d'un assortiment de fruits
confits et hachés

100 g de chocolat à croquer
coupé en morceaux

Tartelette florentine à la praline

Pour confectionner la praline, verser le sucre et l'eau
dans une casserole et faire dissoudre le sucre
à feu doux. Ne pas remuer, laisser bouillir 10 minutes
jusqu'à formation du caramel puis incorporer les amandes.
Étaler sur une feuille d'aluminium beurrée. Laisser refroidir.
Briser la praline refroidie en petits morceaux.

Beurrer des moules à tartelettes cannelés à fond amovible.
Tamiser farine et sel au-dessus du bol d'un robot, ajouter
le beurre et mixer jusqu'à obtention d'un mélange sableux.
Verser la préparation dans un grand saladier, ajouter le sucre
glace et un peu d'eau froide, juste assez pour lier la pâte. Déposer
la pâte sur une surface farinée et partager en six parts égales.
Abaisser chaque part de pâte pour chemiser les moules. Déposer
chaque fond de pâte dans son moule et presser délicatement
au niveau des bords. Passer le rouleau à pâtisserie sur les moules
pour enlever les débords de pâte. Réserver au congélateur
30 minutes. Préchauffer le four à 200 °C (th. 6-7).

Pendant ce temps, préparer la frangipane. Faire fondre le beurre.
Battre les œufs et le sucre en poudre. Incorporer le beurre fondu
à la préparation des œufs et du sucre, puis ajouter la farine
et les amandes moulues. Sortir les moules du congélateur.
Chemiser les fonds de pâte de papier sulfurisé, garnir de haricots
secs et cuire au four 10 minutes. Retirer le papier sulfurisé
et les haricots secs, puis répartir la frangipane sur les fonds
de pâte. Remettre au four 8 à 10 minutes.

Pendant ce temps, mélanger les cerises confites, les écorces
de fruits confits, le chocolat et la praline. Répartir
sur les tartelettes encore chaudes afin que le chocolat puisse
fondre. Servir froid, décoré de cerises confites.

Pour 12 pièces

Pâte

225 g de farine ordinaire
(supplément
pour saupoudrage)

2 cuil. à soupe de sucre roux
en poudre

150 g de beurre froid détaillé
en morceaux

2 jaunes d'œufs

2 cuil. à soupe d'eau froide

Garniture et nappage

1 gousse de vanille

400 ml de crème fraîche
épaisse

350 g de chocolat blanc
détaillé en morceaux

copeaux de chocolat
pour décorer

poudre de cacao
pour le saupoudrage

Tartelette au chocolat blanc

Verser la farine et le sucre dans un saladier. Incorporer le beurre et malaxer jusqu'à obtention d'une consistance sableuse. Verser les jaunes d'œufs et l'eau dans un saladier et bien mélanger. Verser cette préparation sur les ingrédients secs et malaxer jusqu'à obtention d'une pâte. Pétrir 1 minute pour bien unifier la pâte. Envelopper de film alimentaire et placer au frais 20 minutes.

Préchauffer le four à 200 °C (th. 6-7). Abaisser la pâte sur un plan de travail fariné et chemiser douze petits moules à tartelettes. Presser les fonds de pâte et placer au frais 15 minutes. Chemiser chaque fond de pâte de papier aluminium et garnir de haricots secs. Cuire au four 10 minutes. Retirer les haricots secs et le papier aluminium, puis cuire 5 minutes de plus. Laisser refroidir.

Pour la garniture, fendre la gousse de vanille dans le sens de la longueur et retirer les petites graines noires du bout de la lame d'un couteau. Placer les graines dans une casserole avec la crème fraîche et réchauffer, sans laisser bouillir. Faire fondre le chocolat blanc au bain-marie, au-dessus d'une casserole d'eau frémissante, et verser sur la crème chaude. Remuer sans arrêt jusqu'à obtention d'une préparation lisse. Mixer la préparation au fouet électrique, jusqu'à épaississement. Placer au réfrigérateur 30 minutes, puis fouetter à nouveau, jusqu'à obtention d'une consistance ferme. Répartir la garniture sur les fonds de pâte et laisser refroidir 30 minutes. Décorer de copeaux de chocolat et saupoudrer de cacao.

Pour 10 pièces

Pâte

175 g de farine ordinaire

40 g de poudre de cacao

55 g de sucre en poudre

1 pincée de sel

125 g de beurre, détaillé
en petits morceaux

1 jaune d'œuf

1 à 2 cuil. à soupe d'eau
froide

Garniture

200 g de myrtilles

2 cuil. à soupe de crème
de cassis

10 g de sucre glace tamisé

Crème

140 g de chocolat

225 ml de crème fraîche
épaisse

150 ml de crème aigre
ou de crème fraîche liquide

Tartelette au chocolat et à la myrtille

Pour la pâte, verser la farine, la poudre de cacao, le sucre et le sel dans un grand saladier. Incorporer le beurre et malaxer jusqu'à obtention d'une consistance sableuse. Ajouter le jaune d'œuf et un peu d'eau froide, malaxer jusqu'à obtention d'une pâte. Envelopper la pâte et placer 30 minutes au réfrigérateur.

Sortir la pâte du réfrigérateur, l'abaisser et chemiser des petits moules à tartelettes de 10 cm de diamètre. Placer les moules 30 minutes au réfrigérateur. Préchauffer le four à 180 °C (th. 6). Cuire les fonds de pâte au four 10 à 20 minutes. Laisser refroidir.

Verser les myrtilles, la crème de cassis et le sucre glace dans une casserole. Réchauffer, le temps de glacer les myrtilles sans les laisser éclater. Laisser refroidir.

Pour la crème, faire fondre le chocolat au bain-marie au-dessus d'une casserole d'eau frémissante, puis laisser refroidir légèrement. Fouetter la crème jusqu'à obtention d'une consistance ferme, incorporer la crème aigre et le chocolat fondu.

Transférer les fonds de tartelettes sur un plat de service. Répartir la garniture au chocolat sur les fonds de pâte, lisser en surface à l'aide d'un couteau spatule et agrémenter de myrtilles.

Pour 12 pièces

225 g de beurre
doux de préférence
(supplément pour graisser)

115 g de sucre roux

6 abricots frais coupés
en deux et dénoyautés

115 g de farine blanche
ordinaire

1 pincée de sel

1 cuil. à soupe de sucre
en poudre

1 jaune d'œuf

1 cuil. à soupe d'eau froide

Nappage au chocolat

115 g de chocolat noir

2 cuil. à soupe de beurre
doux de préférence

Tartelette tatin à l'abricot

Préchauffer le four à 200 °C (th. 6-7). Pour le nappage, faire fondre le chocolat et le beurre au-dessus d'une casserole d'eau frémissante. Mélanger jusqu'à obtention d'une consistance lisse et homogène. Réserver.

Graisser douze moules à muffins avec un peu de beurre et chemiser chaque moule à l'aide d'un disque de papier sulfurisé.

Battre 140 g de beurre et le sucre roux jusqu'à obtention d'un mélange crémeux. Répartir la préparation dans les moules. Déposer dans chaque moule une moitié d'abricot, côté découpe apparent.

Pour la pâte, verser la farine et le sel dans un grand saladier. Incorporer et malaxer les 85 g de beurre restant jusqu'à obtention d'une consistance sableuse. Incorporer le sucre en poudre. Ajouter le jaune d'œuf et un peu d'eau froide, si nécessaire, puis malaxer jusqu'à obtention d'une pâte. Pétrir légèrement et abaisser la pâte. Découper douze disques de 7,5 cm de diamètre et déposer chaque disque sur les moitiés d'abricot, en enfonçant un peu les bords.

Cuire au four 15 à 20 minutes, le temps de dorer. Sortir du four et laisser reposer 5 minutes. Retourner, côté abricot, et napper de chocolat avant de servir.

Pour 16 pièces

Pâte

400 g de farine blanche
ordinaire

4 cuil. à soupe de saindoux

4 cuil. à soupe de beurre
doux

125 ml d'eau

1 jaune d'œuf battu
pour le glaçage

Garniture

2 grosses bananes pelées

75 g d'abricots secs
non ramollis
et finement hachés

1 pincée de noix muscade

trait de jus d'orange

sucre glace
pour le saupoudrage

crème fraîche ou crème
de riz
pour le service

Chausson à la banane

Pour la pâte, tamiser la farine au-dessus d'un grand saladier.
Ajouter le saindoux et le beurre. Malaxer du bout des doigts
jusqu'à obtention d'une consistance sableuse. Ajouter
progressivement l'eau pour former une pâte souple.
Envelopper de film alimentaire et placer au frais 30 minutes
au réfrigérateur.

Préchauffer le four à 180 °C (th. 6). Écraser les bananes
dans un saladier à l'aide d'une fourchette. Incorporer
les abricots, la noix muscade et le jus d'orange. Bien mélanger.

Abaisser la pâte sur un plan de travail légèrement fariné
et découper seize disques de 10 cm de diamètre.

Déposer à la cuillère un peu de garniture à la banane sur chaque
moitié de cercle. Replier la pâte pour enfermer la garniture
et former des demi-cercles. Sceller les bords en pressant
du bout d'une fourchette. Déposer les demi-cercles
sur une plaque à pâtisserie non adhésive et badigeonner
chaque demi-cercle de jaune d'œuf. Entailler légèrement
chaque demi-cercle et cuire au four préchauffé 25 minutes,
le temps de bien dorer. Saupoudrer chaque chausson
à la banane de sucre glace. Servir chaud, accompagné de crème
fraîche ou de crème de riz.

Pour 12 pièces

Pâte

100 g de beurre froid
détaillé en morceaux
(supplément pour les moules)

225 g de farine blanche
ordinaire
(supplément
pour saupoudrage)

1 pincée de sel

2 cuil. à café de graines
de pavot

eau froide

Garniture

36 tomates-cerises

1 cuil. à soupe d'huile d'olive

25 g de beurre doux

270 ml de lait

sel et poivre

50 g de cheddar

100 g de fromage crémeux

12 feuilles de basilic frais pour
décorer

Tartelette à la tomate-cerise et aux graines de pavot

Beurrer 12 moules à muffins de 7,5 cm de diamètre. Tamiser la farine et le sel au-dessus du bol d'un robot. Ajouter le beurre et mixer jusqu'à obtention d'une consistance sableuse. Transférer la préparation dans un saladier, ajouter les graines de pavot et un peu d'eau froide pour lier la pâte. Transférer sur un plan de travail fariné et la partager en deux. Abaisser la première moitié et découper six disques de 3 cm de diamètre. Abaisser les disques pour former un cercle de 12 cm de diamètre. Déposer chaque cercle dans un moule en pressant délicatement la pâte. Répéter l'opération avec l'autre moitié de pâte. Déposer un disque de papier sulfurisé sur chaque fond de pâte et garnir de haricots secs. Déposer les moules sur une plaque à pâtisserie et placer au réfrigérateur 30 minutes.

Sortir les moules du réfrigérateur et cuire les fonds de pâte 10 minutes au four préchauffé. Retirer les haricots secs et le papier sulfurisé. Déposer les tomates-cerises sur une plaque à pâtisserie, arroser d'huile d'olive et faire rôtir 5 minutes.

Faire fondre le beurre dans une casserole, incorporer la farine et cuire 5 à 8 minutes. Ajouter progressivement le lait, en remuant jusqu'à obtention d'une béchamel. Cuire 5 minutes. Assaisonner et incorporer les fromages. Mélanger jusqu'à obtention d'une préparation lisse. Répartir la garniture sur les fonds de pâte. Décorer de tomates-cerises et cuire 15 minutes. Sortir du four et agrémenter de feuilles de basilic.

Pour 6 pièces

70 g de beurre
détaillé en morceaux
(supplément pour les moules)

125 g de farine blanche
ordinaire
(supplément
pour saupoudrage)

1 pincée de sel

eau froide

Garniture

120 ml de crème fraîche

1 cuil. à café de raifort

½ cuil. à café
de jus de citron

1 cuil. à café de câpres
hachées

sel et poivre

3 jaunes d'œufs

200 g de saumon fumé
détaillé en lanières

bouquet d'aneth frais haché
(supplément pour décorer)

Tartelette au saumon fumé, à l'aneth et au raifort

Beurrer six moules à tartelettes à fond amovible de 9 cm de diamètre. Tamiser la farine et le sel au-dessus du bol d'un robot. Ajouter le beurre et mixer jusqu'à obtention d'une consistance sableuse. Transférer la préparation dans un grand saladier et ajouter un peu d'eau froide, suffisamment pour amalgamer en pâte. Transférer la pâte sur un plan de travail fariné et la diviser en six parts. Abaisser chaque part de pâte et chemiser les moules en pressant délicatement sur la pâte. Égaliser les bords au rouleau à pâtisserie en le passant sur les moules et enlever les débords de pâte. Découper six disques de papier sulfurisé et chemiser chaque fond de pâte. Garnir de haricots secs et placer au réfrigérateur 30 minutes. Pendant ce temps, préchauffer le four à 200 °C (th. 6-7).

Cuire les fonds de pâte 10 minutes au four préchauffé. Retirer les haricots secs et le papier sulfurisé.

Pendant ce temps, verser la crème fraîche, le raifort, le jus de citron, les câpres, le sel et le poivre dans un saladier. Bien mélanger. Ajoutez les jaunes d'œufs, le saumon fumé et l'aneth et bien mélanger. Répartir la garniture sur les fonds de pâte et remettre au four 10 minutes. Laisser refroidir 5 minutes dans les moules, et agrémenter de brins d'aneth frais avant de servir.